Indagine a Firenze

Adattamento e attività di **Cinzia Medaglia**

Illustrazioni di **Gianluca Garofalo**

Redazione: Daniela Difrancesco
Progetto grafico e direzione artistica: Nadia Maestri
Grafica al computer: Carlo Cibrario-Sent, Simona Corniola
Ricerca iconografica: Alice Graziotin

Prima edizione: gennaio 2014

Crediti: Istockphoto; Dreams Time; Shutterstock Images; © LookImages/Cuboimages: 23bs; © Enrico Caracciolo/CuboImages: 26; DeAgostini Pictures Library: 27b; © PierreNavig˜/CuboImages: 28b; © Gimmi/CuboImages: 34ad; © RobertHarding/CuboImages: 34bd; © BIM DISTRIBUZIONE/WebPhoto: 47, 48; © FoodCentrale/Cuboimages: 50a; DeAgostini Pictures Library: 50b, 51, 71; Getty Images: 73; DeAgostini Pictures Library: 74a; © Ken Scicluna/John Warburton-Lee Photography Ltd/Cubo Images: 74b; Getty Images: 75.

Saremo lieti di ricevere i vostri commenti o eventuali suggerimenti, e di fornirvi ulteriori informazioni sulle nostre pubblicazioni:
info@blackcat-cideb.com

Le soluzioni degli esercizi sono disponibili sul sito:
blackcat-cideb.com

The design, production and distribution of educational materials for the CIDEB brand are managed in compliance with the rules of Quality Management System which fulfils the requirements of the standard ISO 9001 (Rina Cert. No. 24298/02/S - IQNet Reg. No. IT-80096)

ISBN 978-88-530-1433-7 libro + CD

Stampato in Italia da Italgrafica, Novara

 Il testo è integralmente registrato.

 Attività di ascolto

 Esercizi in stile CELI 1 (Certificato di conoscenza della lingua italiana), livello A2.

Firenze

Firenze è conosciuta come la città simbolo del Rinascimento. È straordinariamente ricca di monumenti e per questo è visitata ogni anno da milioni di persone che arrivano da tutto il mondo.
Illustriamo qui solo alcuni dei suoi monumenti più importanti, chiese e palazzi di bellezza e valore immensi.

Le chiese

La **basilica di Santa Maria Novella**, completata nel 1459, si trova nel centro della città e la sua facciata è opera dell'architetto Leon Battista Alberti. Si presenta come un'armonica combinazione di stile gotico e rinascimentale. Al suo interno si trovano importanti opere d'arte come il *Crocifisso* di Brunelleschi e la *Trinità* di Masaccio.
Il **Duomo di Firenze** è la quinta chiesa più grande d'Europa ed una delle più belle chiese del mondo. La sua famosissima cupola è la più grande cupola in muratura mai costruita. Al suo interno si trova un

Palazzo Vecchio.

affresco di 3600 metri quadrati, cioè il più grande affresco mai dipinto. Dalla cima della cupola si può godere di una bellissima veduta sulla città.

Il **campanile di Giotto**, invece, è la torre del Duomo, progettata dal grande artista nel 1300.

Da vedere sono anche la Chiesa di Santa Maria del Carmine, la Cappella Brancacci e la Basilica di San Lorenzo – una delle chiese più antiche della città, dove si trovano bellissime sculture – e la Biblioteca Laurenziana.

I palazzi

Tra i palazzi più importanti della città citiamo quelli che sono assolutamente da vedere.

Palazzo Vecchio, che risale al Trecento, si trova in Piazza della Signoria e per molti secoli è stato il centro della vita politica della città. Qui, infatti, aveva sede il governo fiorentino. Davanti a Palazzo Vecchio si può ammirare un famoso gruppo di sculture, tra cui il *Perseo* di Cellini e una copia del *David* di Michelangelo (l'originale, scolpito nel 1504, è conservato nella Galleria dell'Accademia).

Palazzo Pitti con il giardino dei Boboli era il palazzo di un ricco mercante, di nome Luca Pitti appunto, e la sua costruzione risale al 1457. Adesso ospita cinque musei. Il **Giardino dei Boboli** è uno degli esempi più famosi di giardino all'italiana, un vero e proprio museo a cielo aperto.

Una veduta del Ponte Vecchio.

Altri importanti palazzi da vedere sono Palazzo Gondi e Palazzo Rucellai, uno dei più bei palazzi rinascimentali di Firenze.

Il ponte

Tra i simboli più rappresentativi di Firenze c'è senz'altro il **Ponte Vecchio**. Si trova nel punto più stretto dell'Arno ed è il ponte più antico della città.

Il primo "ponte vecchio" è di epoca romana, ma quello che vediamo oggi risale al Trecento. Fin da questo periodo sul Ponte Vecchio si trovano tante botteghe. C'erano verdurai, macellai e conciatori, che facevano e vendevano borse e abiti.

La situazione cambia alla fine del 1400. I Medici, signori di Firenze, decidono che sul ponte più importante della città troveranno posto solo le botteghe più belle ed eleganti e costringono quelle più modeste a spostarsi altrove. Così è stato da allora ed è ancora oggi.

1 Indica l'alternativa corretta.

1 Firenze è considerata come la città simbolo del

a ☐ Rinascimento. b ☐ Medioevo. c ☐ Barocco.

2 La basilica di Santa Maria Novella è opera di

a ☐ Michelangelo. b ☐ Leonardo da Vinci.

c ☐ Leon Battista Alberti.

3 Il Duomo di Firenze è

a ☐ la chiesa più grande d'Europa.

b ☐ la seconda chiesa più grande d'Europa.

c ☐ la quinta chiesa più grande d'Europa.

4 La parte più famosa della chiesa è

a ☐ la cupola. b ☐ la facciata. c ☐ l'altare.

5 Il campanile di Giotto è la torre

a ☐ del Duomo. b ☐ di Palazzo Vecchio.

c ☐ della basilica di Santa Maria Novella.

6 Palazzo Vecchio risale al

a ☐ Duecento. b ☐ Trecento. c ☐ Quattrocento.

7 Davanti a Palazzo Vecchio si possono ammirare

a ☐ delle famose sculture.

b ☐ delle belle fontane.

c ☐ pareti con affreschi.

8 Palazzo Pitti ospita

a ☐ un museo. b ☐ tre musei. c ☐ cinque musei.

9 Il Giardino dei Boboli è un esempio tipico di

a ☐ giardino all'italiana.

b ☐ giardino francese.

c ☐ giardino inglese.

10 Sul Ponte Vecchio si trovano negozi

a ☐ comuni. b ☐ antichi. c ☐ eleganti.

Personaggi

Da sinistra a destra e dall'alto verso il basso: **Susan, Antonio, il commissario Gianni Collina, il padre di Antonio: Mario, John Mitchell tra i suoi due complici.**

Prima di leggere

1 **Le parole seguenti sono utilizzate nel primo capitolo. Abbina ogni parola all'immagine corrispondente.**

a laboratorio
b crostini
c pasta
d marionetta

2 **Adesso abbina ogni espressione al suo significato.**

1 ☐ Scoppia a ridere.
2 ☐ Ve lo sognate!
3 ☐ Cosa dici di...?
4 ☐ Non me ne importa niente.
5 ☐ Vuoi assaggiare?
6 ☐ Ti offro un digestivo.

a Vorresti bere questo...?
b Non mi interessa.
c A un tratto si mette a ridere.
d Non avete nessuna possibilità.
e Hai voglia di...?
f Ti piacerebbe provare...?

CAPITOLO **1**

Al ristorante

Susan guarda nel piatto di Antonio e chiede:

"Cosa sono quelli?"

"Crostini, una specialità di Firenze. A me piacciono tanto. Sono pezzi di pane abbrustolito con salse varie. Questa salsa che sto mangiando è ai fegatini. Vuoi assaggiare?"

"No, grazie. Lasciami finire la mia pasta al sugo di cinghiale. Guarda che piatto enorme mi hanno portato!"

Susan ha 15 anni ed è americana. È arrivata a Firenze una settimana fa. Sta facendo uno scambio scolastico. Ed è stata fortunata: Antonio è molto simpatico, i suoi genitori sono gentilissimi e la città di Firenze davvero splendida. Inoltre a Susan piace tanto mangiare e il papà di Antonio, Mario, ha un ristorante nella zona di Santa Maria Novella, nel centro della città.

"Vi piace tutto?" domanda a Susan.

1. **succulento** : molto buono da mangiare, gustoso, saporito.

"Squisito... mmh... succulento[1], signor Mario!" risponde lei.

"Perbacco. Stai imparando bene a parlare italiano, Susan!" commenta lui.

"Ma ti ho già detto di non chiamarmi 'signore'" continua. "Chiamami Mario, per favore! Non farmi sentire più vecchio di quello che sono."

Un uomo, seduto al tavolo vicino, scoppia a ridere. È il commissario Gianni Collina, amico di Mario.

"Beh, certo che non sei più un bambino!" esclama.

Mario ride a sua volta e chiede:

"Come va il caso del diamante?"

Il commissario non risponde subito, è concentrato sul cibo. Gianni Collina sa di mangiare troppo e di non essere per niente in forma. "Devo stare attento" si dice sempre, ma l'amore per la buona tavola è troppo forte. Nemmeno questo caso difficile gli ha fatto passare l'appetito: si tratta di un diamante rubato e non di un diamante qualsiasi, ma addirittura del più bello del mondo: il Solitario.

"Sicuramente il diamante è già lontano" risponde.

"Il proprietario è molto arrabbiato. Dice che i poliziotti italiani sono degli incapaci. Ha anche promesso una ricompensa di diecimila euro a chi ritroverà la pietra."

"Càspita!" esclamano Antonio e Susan allo stesso tempo.

"Non fatevi strane idee, ragazzi" commenta il commissario.

"Ma se per caso trovate o scoprite qualcosa chiamatemi sul cellulare" aggiunge con un sorriso ironico.

"Chissà che non scopriamo qualcosa noi..." mormora Antonio.

"Se prendiamo la ricompensa io mi compro un cavallo."

"E io la collezione" dice Antonio.

"La collezione di chi?" chiede Susan.

"Cavallazzi" spiega il padre di Antonio. "Era un burattinaio[2] fiorentino e Antonio andava molto spesso nel suo laboratorio. È morto sei mesi fa. Un collezionista americano ha comprato il laboratorio e tutta la sua collezione."

"Le marionette sono al museo del Bargello. Per un'ultima esposizione" dice Antonio. "Domani parte tutto per gli Stati Uniti. Cosa dici se andiamo al museo? C'è anche uno spettacolo di marionette alle sette e mezza. Mi piacerebbe vederlo."

Il padre di Antonio interviene:

"Non andrete al Bargello proprio questa sera! Non sapete che c'è l'ultima partita del campionato?"

"Papà" risponde Antonio, "tu sai bene che a me del calcio non importa niente. La Fiorentina sarà importante, ma a me interessano cento volte di più le marionette."

Susan non capisce. Partita? Fiorentina? Di che cosa parlano?

Antonio le spiega:

"La Fiorentina è una squadra di calcio."

"Calcio?"

"Sì, pallone, *football*, *soccer*..."

"Ah, *soccer*, certo. Adesso capisco. Quindi state parlando di sport."

"Sì, proprio così. Il mio papà è un appassionato di calcio, ma a me del calcio non importa niente."

"Tu preferisci le marionette."

"Sì, io preferisco le marionette."

"Anche a me piacevano quando ero una ragazzina. Ma ormai sono grande."

"Si possono amare le marionette a tutte le età" si difende Antonio.

"Ok, allora andiamo tutti al museo!"

Antonio e Susan escono seguiti da Mario e dal commissario Collina.

2. **burattinaio** : la persona che manovra le marionette.

Comprensione scritta e orale

1 Leggi il capitolo, poi indica la risposta corretta.

1 Susan è
a ☐ americana. b ☐ tedesca. c ☐ inglese.

2 Il padre di Antonio ha un ristorante a
a ☐ Firenze. b ☐ Milano. c ☐ Roma.

3 Gianni è un
a ☐ commissario. b ☐ ispettore. c ☐ giudice.

4 Il Solitario è
a ☐ un dipinto. b ☐ una statua. c ☐ un diamante.

5 Il laboratorio di Cavallazzi è stato
a ☐ bruciato. b ☐ comprato. c ☐ sequestrato.

6 Antonio propone a Susan di
a ☐ visitare un museo. b ☐ andare in piscina.
c ☐ andare al cinema.

7 La squadra di calcio della città si chiama
a ☐ Fiorenza. b ☐ Fiorentina. c ☐ Fiorente.

8 Antonio ama molto
a ☐ il calcio. b ☐ la cucina. c ☐ le marionette.

3 **2 Ascolta le frasi lette dal narratore e scrivi per ciascuna il nome del personaggio che potrebbe pronunciarla.**

1 .... 3 ....
2 .... 4 ....

Lessico

1 Collega ognuna di queste parole alla definizione corrispondente.

a dessert
b caffè
c formaggio
d antipasto

e secondo piatto
f primo piatto
g aperitivo
h gelato

1 ☐ Spesso consiste in un piatto di pasta.
2 ☐ In Italia è sempre "espresso".
3 ☐ Ce ne sono tanti tipi in Italia, dal Taleggio al Parmigiano Reggiano.
4 ☐ Di solito è un dolce o un gelato.
5 ☐ È spesso accompagnato da stuzzichini.
6 ☐ Può consistere in carne o pesce.
7 ☐ Piatti leggeri che si servono prima dell'inizio del pasto.
8 ☐ Si mangia spesso come dessert.

2 Metti adesso i piatti nell'ordine in cui arrivano a tavola.

a ☐ dessert
b ☐ caffè
c ☐ formaggio
d ☐ antipasto
e ☐ secondo piatto
f ☐ primo piatto
g ☐ aperitivo

3 Indica l'alternativa corretta.

1 In questo ristorante c'è
a ☐ un tavolo libero. b ☐ una tavoletta libera.
c ☐ un tovagliolo libero.

2 Non c'è una grande scelta di cibi
a ☐ in questa classifica. b ☐ in questo menù.
c ☐ in questa rivista.

3 Non voglio una fetta di
a ☐ carta. b ☐ torta. c ☐ pasta.

4 Posso avere
a ☐ un bicchiere b ☐ una coppa
c ☐ un cesto d'acqua?

5 La persona che porta l'ordinazione è
a ☐ il cameriere. b ☐ il camionista. c ☐ il lavapiatti.

6 In questo ristorante
a ☐ Il conto b ☐ l'acconto
c ☐ il menù è troppo alto.

Grammatica

I nomi alterati: diminutivo e accrescitivo

Ragazzina e *piattone* sono nomi alterati.

Ragazzina è un diminutivo, *piattone* è un accrescitivo.

Diminutivo → più piccolo

Accrescitivo → più grande

Diminutivo: *-ino /-icino/-ello*

Gatto → *gattino*

Corpo → *corpicino*

Accrescitivo: *-one*

Bambino → *bambinone*

Donna → *donnone*

1 Scrivi la forma alterata (diminutivo e accrescitivo) delle parole date.

0 Una mano piccola: *manina*

1 Un palazzo grande ....

2 Un paese piccolo ....

3 Un libro piccolo ....

4 Un libro grande ....

5 Una tazza piccola ....

6 Un naso grande ....

7 Una stanza grande ....

8 Un quaderno piccolo ....

Produzione scritta e orale

1 Hai mai fatto un soggiorno all'estero o uno scambio culturale? Se sì, racconta la tua esperienza. Se no, scrivi il menù del tuo pasto preferito.

Prima di leggere

1 **Le seguenti parole sono utilizzate nel secondo capitolo. Abbina ogni parola all'immagine corrispondente.**

a spalla
b schermo
c cortile
d palazzo
e attrezzi
f museo
g ragnatela
h tessuto
i orologio

CAPITOLO **2**

Al museo

Antonio e Susan sono nel museo da più di un'ora. Non sono soli. Tanti fiorentini sono venuti ad ammirare per l'ultima volta la collezione di Cavallazzi. Le marionette sono in un piccolo teatro di legno al secondo piano del museo. Inoltre, sugli schermi che si trovano nelle diverse sale, si possono seguire degli spettacoli. Susan li guarda con interesse.

"Allora le marionette ti piacciono ancora... Non le consideri solo cose per ragazzini" le dice Antonio ironicamente.

"Shhh! Ti prego, lasciami ascoltare!" risponde lei.

Ogni tre minuti lo schermo diventa nero e comincia una nuova storia.

"È davvero fantastico!" esclama Susan.

"Vieni, voglio farti vedere una cosa."

In un angolo della stanza c'è una marionetta tutta sola.

"Ti presento Rossetto" dice Antonio con orgoglio.

"Non è in buono stato."

"Un po' di rispetto, Susan. Ha più di duecento anni!"

"Davvero?"

"Eh sì. Questa marionetta non è una copia, ma l'originale creato da Francesco Del Ponte nel 1808. Uno dei suoi discendenti l'ha donata a Cavallazzi. Era la sua marionetta preferita. Domani però va negli Stati Uniti. Che tristezza!"

Antonio guarda l'orologio.

"Ho un'idea" dice. "Finiamo la nostra visita e poi ti porto a vedere il laboratorio di Cavallazzi."

Mezz'ora dopo, i due sono nel cortile di un palazzo dove si trova il laboratorio. Antonio bussa. Nessuno risponde. Fortunatamente la porta non è chiusa a chiave.

"Caspita, è aperta. Abbiamo fortuna" esclama Antonio.

"Ma non si può!" dice Susan.

"Non si può cosa?" chiede Antonio.

"Entrare così in una... come si dice... proprietà privata" risponde lei.

"Non facciamo niente di male, Susan. E poi sai cosa ti dico? Io qui mi sento un po' come a casa mia."

La ragazza esita[1], ma Antonio la prende per mano ed entrano.

"C'è qualcuno?" chiede Antonio più volte.

Silenzio.

Accende la luce, ma Susan si guarda intorno con sospetto.

C'è della polvere sui mobili e ci sono ragnatele dappertutto. Camminano fino in fondo al laboratorio.

"Siediti un secondo, arrivo subito" dice Antonio, e sparisce dietro una tenda. Dopo qualche istante la tenda si apre e Susan vede apparire una marionetta.

"Eccomi qui!"

Antonio fa una voce buffa da... marionetta.

1. **esita** : è incerta, poco sicura.

CAPITOLO 2

"Ciao, Susan. Sai che mi è successa una cosa incredibile?"

Antonio continua a parlare, fa uno spettacolo inventato da lui in quel momento.

"Che forte!" esclama Susan. "Anch'io voglio partecipare."

Si alza e cerca una marionetta in giro per il laboratorio. Cerca su un tavolo che è pieno di cose e di qualche pezzo di tessuto e parti di marionetta, piedi, mani, un dito...

"Vieni a vedere, Antonio" lo chiama Susan. "Guarda, è strano. Qualcuno ha lavorato su questo tavolo non tanto tempo fa."

Antonio si avvicina al tavolo.

"Sì, hai ragione. Qualcuno è stato qui e ha usato questi attrezzi. Ma questa è una testa..."

In quell'istante tre uomini entrano nel laboratorio.

"Chi siete voi? E che cosa fate qui?" domanda il più vecchio.

L'uomo ha un accento americano. Probabilmente è quello che ha comprato la collezione.

"Mi dispiace, signore, sono Antonio. Cavallazzi era un mio grande amico e volevo far vedere alla mia amica le..."

"Voi non potete stare qui. Io sono John Mitchell e questo laboratorio è mio."

"Io... veramente..."

Gli altri due uomini si avvicinano ai due ragazzi, li prendono per le spalle e li spingono fuori. I due amici adesso sono in strada.

"Certo che quei tipi non erano molto simpatici" commenta Susan.

Quando sono lontani dal laboratorio, Antonio tira fuori un oggetto dalla tasca: è la testa di Rossetto.

"Tu sei pazzo!" esclama Susan. "Perché l'hai presa?"

"Perché ho l'impressione che sia quella di Rossetto, quella esposta al museo. Ma è chiaro che non può avere due teste..."

Comprensione scritta e orale

4 **1 Ascolta la registrazione del capitolo, poi indica se le affermazioni sono vere o false.**

		V	F
1	I due ragazzi sono soli nel museo.	☐	☐
2	Antonio e Susan visitano una mostra di dipinti.	☐	☐
3	Alcune marionette sono molto antiche.	☐	☐
4	Al laboratorio di Cavallazzi si accede da un cortile.	☐	☐
5	Tre uomini con un cappuccio in testa entrano nel laboratorio.	☐	☐
6	Antonio ha preso la testa di Rossetto che era nel laboratorio.	☐	☐

2 Abbina il nome del museo alla sua descrizione.

a Palazzo Pitti
b Museo del Bargello
c Giardino dei Boboli
d Museo degli Uffizi

1 ☐ Questo è il museo in cui vanno Susan e Antonio. Si trova in un bel palazzo medievale. Qui c'è un settore dedicato alla scultura con opere di Donatello, Michelangelo, Brunelleschi e una sezione dedicata alle arti applicate.

2 ☐ È il museo più importante di Firenze e uno dei più ricchi d'Italia. È sulle rive dell'Arno. Qui si possono ammirare alcuni dei dipinti più famosi come *La nascita di Venere* di Botticelli, la *Venere di Urbino* di Tiziano, il *Tondo Doni* di Michelangelo.

3 ☐ In questo palazzo si trovano cinque musei. Ognuno di essi è dedicato a una diversa area tematica. Ci sono: la Galleria Palatina, con dipinti di Tiziano, Raffaello, Caravaggio e Botticelli; la Galleria d'Arte Moderna, che custodisce numerosi dipinti dell''800 e del '900; il Museo degli Argenti, il Padiglione della Meridiana e il Museo dei Costumi, dedicato ai più begli abiti d'epoca.

4 ☐ Una specie di museo a cielo aperto: attraversandolo a piedi si possono vedere statue e sculture bellissime.

3 **Adesso abbina ogni museo (a-d) all'immagine corrispondente.**

1

2

3

4

Lessico

1 **Indica l'aggettivo corretto.**

1 Susan guarda i filmati degli spettacoli di marionette con entusiasmo. Lei è
   a ☐ appassionata. b ☐ stanca. c ☐ spaventata.
2 Antonio è molto contento di far visitare il laboratorio di Cavallazzi a Susan. È
   a ☐ nervoso. b ☐ assetato. c ☐ entusiasta.
3 Le marionette partono per gli Stati Uniti. Antonio è
   a ☐ felice. b ☐ triste. c ☐ entusiasta.
4 Susan segue Antonio nel laboratorio. Lei è
   a ☐ arrabbiata. b ☐ spaventata. c ☐ emozionata.
5 L'americano scopre i due ragazzi. Lui è
   a ☐ felice. b ☐ infastidito. c ☐ triste.
6 Susan vede che Antonio ha preso la testa della marionetta. È
   a ☐ rassicurata. b ☐ contenta. c ☐ sorpresa.
7 Antonio trova che la testa di Rossetto sia strana. È
   a ☐ scontento. b ☐ incuriosito. c ☐ soddisfatto.
8 Susan e Antonio trovano i tre americani
   a ☐ simpatici. b ☐ antipatici. c ☐ piacevoli.

2 **Completa il testo con le parole proposte.**

(**1**) .... di apertura del museo sono indicati all'entrata: dalle 9.30 alle 17. (**2**) .... d'entrata costa cinque euro. Esistono (**3**) .... speciali per studenti e anziani. È (**4**) .... per i bambini di meno di cinque anni. Si può fare la visita da soli oppure con (**5**) .... (**6**) .... sono in mostra in diverse (**7**) .... "Si prega di non toccare" dice il (**8**) .... quando qualcuno si avvicina troppo a uno dei pezzi.

1	I menù	Gli orari	I passaggi
2	Il biglietto	La tessera	La carta
3	delle tariffe	delle tradizioni	delle cifre
4	gratuito	chiuso	gradito
5	un arbitro	una guida	un capo
6	Le opere	I prodotti	I servizi
7	scale	salotti	sale
8	guardiano	poliziotto	gendarme

Grammatica

Le congiunzioni

Ma, ***però***, ***e***, ***quindi***, ***poi*** sono congiunzioni coordinanti, cioè parole che servono a collegare frasi o parole.

Antonio vuole entrare, ma Susan non è d'accordo.
Entrano nel museo, poi visitano le sale.

1 **Completa le frasi con la congiunzione coordinante corretta: *e*, *ma*, *ma anche*, *poi*, *o*.**

1 Susan .... Antonio visitano il museo.
2 La testa assomiglia a quella di Rossetto, ... ce n'è una sola.
3 Antonio non ha la chiave, ... la porta non è chiusa. Quindi possono entrare.
4 Antonio vuole rivedere la marionetta .... torna al museo.
5 Chi ha più paura? Susan .... Antonio?
6 Non solo Antonio, ... Susan è interessata alle marionette.
7 I visitatori prima entrano nel museo, ... vedono lo spettacolo.

CELI 1

2 Indica l'alternativa corretta.

1 Susan parla inglese
   a ☒ e anche francese.
   b ☐ o sempre francese.

2 Antonio è simpatico
   a ☒ e va d'accordo con la sua amica Susan.
   b ☐ ma va d'accordo con la sua amica Susan.

3 Antonio e Susan vogliono guardare la collezione
   a ☒ e poi andare a casa.
   b ☐ però andare a casa.

4 La porta si apre
   a ☒ quindi possono entrare.
   b ☐ ma possono entrare.

5 Antonio sparisce dietro una tenda,
   a ☒ poi fa uno spettacolo.
   b ☐ però fa uno spettacolo.

6 Nel laboratorio arrivano Mitchell
   a ☐ o i suoi uomini.
   b ☒ e i suoi uomini.

7 Antonio dice di essere amico di Cavallazzi
   a ☐ ma di voler mostrare la collezione a Susan.
   b ☒ e anche di voler mostrare la collezione a Susan.

Produzione scritta e orale

1 Antonio fa una specie di spettacolo con la marionetta e dice: "Ciao, Susan. Sai che mi è successa una cosa incredibile?" Immagina il seguito dello spettacolo di Antonio.

2 Fa' la lista degli oggetti che si trovano nel tuo museo ideale e spiega perché.

Crostini toscani.

La cucina toscana

Firenze, e più in generale la Toscana, hanno una cucina ricca di piatti semplici e dai sapori definiti, che è caratterizzata da tre elementi: il pane toscano, l'olio extravergine d'oliva, la carne.

Gli ingredienti

Il **pane toscano** si chiama anche "pane sciocco" o pane senza sale. È pane ben cotto con crosta croccante.

La **carne** è un elemento essenziale della cucina fiorentina. Può essere carne di manzo o selvaggina (cinghiale, cervo, coniglio) e può essere cotta in diversi modi: alla griglia, arrostita o brasata.

L'**olio di oliva** è utilizzato nella maggior parte delle preparazioni della cucina toscana e deve sempre essere extravergine.

Un altro ingrediente molto amato dai toscani sono i **fagioli**, come si può vedere dai piatti principali della tavola regionale: fagioli bianchi cotti con olio di oliva e salvia, o con aglio, olio di oliva e tonno.

I piatti

L'antipasto

Il tipico pasto fiorentino comincia con l'antipasto. La **bruschetta** alla fiorentina, i crostini misti e i formaggi toscani sono un classico. La bruschetta consiste in una fetta di pane rustico abbrustolito ("bruscato"). Si può condire in tanti modi diversi. Il più tipico fra i condimenti è il pomodoro, il più semplice l'olio extravergine di oliva. Formaggi toscani tipici sono il pecorino, il cacio e il Marzolino di Pienza.

I primi piatti

Segue il primo piatto. Tra i primi più amati ci sono le zuppe. Esse sono una componente importante del tipico pasto toscano. Tra i tipi di zuppa più popolari ci sono la **pappa col pomodoro** e la **ribollita**. Trovate la ricetta della pappa col pomodoro a pag. 50. La ribollita, invece, è una zuppa tradizionale a base di cavolo nero, pane toscano raffermo, fagioli cannellini e olio, "quello bono", extravergine di oliva. Tra i primi di pasta più amati ci sono le tagliatelle o le pappardelle condite con sughi a base di carne di selvaggina (per esempio di cinghiale).

Pappa col pomodoro.

Bistecca alla fiorentina.

I secondi

I secondi più tipici sono il tradizionale **filetto** e la **bistecca alla fiorentina**. Si servono con contorni come patate arrosto o fagioli all'olio.

I dolci

Tra i dolci più famosi ci sono i **cantuccini**, tipici biscotti secchi con la mandorla, e il **Panforte di Siena**, una piccola torta bassa e compatta. È ripieno di spezie e di frutta candita e ricoperta di zucchero vanigliato. La sua produzione risale al Medioevo.

Panforte di Siena.

Comprensione

1 Rispondi alle seguenti domande.

1 Da quali ingredienti è caratterizzata la cucina toscana?
2 Qual è un altro nome per il pane toscano?
3 Di che tipo può essere la carne?
4 Come può essere cotta?
5 Qual è un altro ingrediente molto importante della cucina fiorentina?

2 Indica se le affermazioni sono vere o false.

		V	F
1	Il tipico pasto toscano comincia con il primo piatto.	☐	☐
2	Un classico antipasto della cucina fiorentina è la bruschetta.	☐	☐
3	La bruschetta si può condire in modi diversi.	☐	☐
4	Uno dei formaggi toscani più conosciuti è il Parmigiano Reggiano.	☐	☐
5	Tra i primi piatti più amati ci sono i risotti.	☐	☐
6	La ribollita è una zuppa.	☐	☐
7	Molti piatti di pasta tipici sono conditi con sugo di carne.	☐	☐
8	Un secondo classico è il filetto.	☐	☐
9	Il Panforte di Siena è un pasticcino.	☐	☐

3 Leggi questo menù di un ristorante fiorentino.

Antipasti
Bruschette al pomodoro
Bruschette ai fegatelli
Tagliere di formaggi e salumi

Primi piatti
Ribollita all'olio nuovo
Pappardelle al cinghiale
Pappa al pomodoro

Secondi piatti
Filetto al pepe verde
Bistecca alla fiorentina con fagioli
Coniglio ripieno

Dessert
Panforte
Cantuccini e Vin Santo
Torta della nonna

Adesso con un tuo compagno/una tua compagna fa' le ordinazioni.

Cliente 1
....
....
....
....
....

Cliente 2
....
....
....
....
....

CAPITOLO **3**

Per i vicoli

Antonio e Susan sono di nuovo al secondo piano del museo. Antonio rivede la testa della marionetta esposta. Quella che ha trovato al laboratorio le assomiglia troppo e lui è sospettoso. Questa storia è davvero strana...

Ci sono ancora circa quindici visitatori nella sala. Sono le sei meno un quarto e il museo chiude tra un quarto d'ora. Antonio osserva la marionetta.

"Allora, che cosa ne pensi?" domanda Susan.

"Non è facile a dirsi. Ho bisogno di vederla più da vicino."

La voce del guardiano interrompe le loro riflessioni:

"Il museo chiude entro dieci minuti. Per favore, avviatevi verso l'uscita."

Gli ultimi visitatori escono lentamente dalla sala e scendono verso l'uscita. Antonio e Susan li seguono, ma invece di prendere

le scale, Antonio fa segno a Susan e lei lo segue fino in fondo al corridoio. Apre una porta su cui c'è scritto "privato". Entrano e chiudono la porta dietro di loro.

"Mi dici che cosa stai facendo?" chiede Susan.

"Ci nascondiamo. Poi torniamo a esaminare tranquillamente le marionette."

"Poi... quando?"

"Quando tutti sono usciti."

Ogni tanto Antonio apre la porta con cautela [1] e dà un'occhiata al corridoio.

Verso le sette e mezza, Antonio apre di nuovo la porta e fa qualche passo fuori. Sente dei rumori. Vengono dal giardino del museo: sta per cominciare lo spettacolo. Adesso possono andare nella sala dove sono esposte le marionette. Antonio si avvicina a Rossetto e lo prende per osservarlo, ma scatta un allarme.

"Oh, no!" esclama il ragazzo.

"Che cosa facciamo adesso?" chiede Susan spaventata.

"Usciamo dal museo. Presto!"

I due ragazzi corrono verso le scale. Nel giardino c'è il panico. Delle persone gridano al fuoco, altri al ladro. Quando Antonio e Susan arrivano vicino all'uscita, si ritrovano faccia a faccia con il direttore del museo, il collezionista americano e i suoi due soci.

"Che cosa fate qui?" chiede il direttore. "Perché avete preso Rossetto?"

"Ancora voi!" esclama John Mitchell. "Datemi subito la marionetta!"

L'uomo si lancia su Antonio per strappargli la marionetta dalle mani, ma lui e Susan sono più veloci e scappano via correndo. John

1. **cautela** : attenzione.

Mitchell grida qualcosa e i suoi due soci si lanciano all'inseguimento. Fortunatamente Antonio conosce quella parte della città molto bene. Arrivato in una via stretta e deserta, fa segno a Susan.

"Presto, prendiamo questo vicolo!"

I due corrono nella stradina fino a quando non arrivano davanti a una vecchia casa.

Antonio spinge una porta e la chiude dietro di sé. Percorrono un lungo corridoio, salgono una scala, entrano da una porta, poi percorrono un altro corridoio e aprono una seconda porta. A Susan sembra un labirinto. Antonio si guarda alle spalle.

"Abbiamo seminato[2] gli americani" dice.

Finalmente sono arrivati nella piazza vicino al ristorante del papà di Antonio. Riprendono fiato per qualche istante.

"Cos'è un vicolo?" domanda Susan.

"Un vicolo è quello che hai visto, una strada stretta. Questa città ne è piena."

"Ah... Sono belli i... vicoli. Pittoreschi."

"Sì, pittoreschi." Antonio si guarda intorno.

"Adesso però è meglio non stare qui" dice.

Proseguono ancora per un centinaio di metri e salgono nell'appartamento di Antonio, che si trova proprio sopra al ristorante. Non c'è nessuno perché i genitori del ragazzo sono tutt'e due allo stadio. Nel frattempo gli americani sono tornati al museo. Dicono a John Mitchell che hanno perso le tracce dei due ragazzi. L'uomo si arrabbia al momento, ma poi si calma e sorride perché ricorda che il ragazzo ha detto il suo nome quando era al laboratorio: Antonio.

'Non sarà difficile trovarti, Antonio' pensa.

2. **abbiamo seminato** : (colloquiale) abbiamo lasciato indietro.

Comprensione scritta e orale

1 Leggi il capitolo, poi rispondi a queste domande.

1 Perché Antonio e Susan tornano al museo?
2 Il museo ha appena aperto?
3 Antonio e Susan seguono gli altri visitatori?
4 Che cosa succede nel giardino del museo?
5 Quando scatta l'allarme?
6 Perché gli americani perdono le tracce di Antonio e di Susan?
7 Dove vanno a nascondersi Antonio e Susan?
8 Perché il collezionista si calma facilmente?

6 **2 Ascolta la registrazione, poi associa ogni descrizione all'immagine corrispondente.**

1 ☐

2 ☐

3 ☐

4 ☐

Grammatica

Le ore

00.00/24.00 È mezzanotte.
01.00 È l'una.
02.20 Sono le due e venti.
03.15 Sono le tre e un quarto.
04.30 Sono le quattro e mezza.
05.35 Sono le cinque e trentacinque.
06.45 Sono le sei e quarantacinque o le sette meno un quarto.
12.00 È mezzogiorno. Sono le dodici.
13.00 Sono le tredici o l'una del pomeriggio.
14.40 Sono le quattordici e quaranta o le tre meno venti (del pomeriggio).

Espressioni utili: *essere* o *arrivare* in *anticipo/in ritardo/puntuale.*

1 Indica l'alternativa corretta.

1 Antonio deve chiamare i suoi genitori alle otto e mezza. Sono le 20.25.
- a ☐ Mancano ancora alcuni minuti.
- b ☐ Ha dimenticato di farlo.
- c ☐ Ha ancora molto tempo per pensare.

2 Il museo chiude alle sette meno venti. Sono le 18.35.
- a ☐ Apre tra cinque minuti.
- b ☐ È chiuso.
- c ☐ Chiude entro cinque minuti.

3 Antonio ha un appuntamento alle due meno un quarto. Arriva alle 13.50. È
- a ☐ in anticipo.
- b ☐ in ritardo.
- c ☐ puntuale.

4 Sono le sette e quarantacinque di sera. Entro dieci minuti saranno
- a ☐ le diciannove e cinquantacinque.
- b ☐ le venti.
- c ☐ le venti e cinquanta.

Lessico

1 Ritrova nel capitolo le parole o le espressioni che corrispondono a ogni definizione.

1 Il contrario di entrata. U _ _ _ _ _
2 Persone che entrano in un museo per vedere gli oggetti esposti. V _ _ _ _ _ _ _ _ _
3 Sorveglia il museo. G _ _ _ _ _ _ _ _
4 Si usano per salire e scendere. S _ _ _ _
5 Stare in un posto per non farsi trovare N _ _ _ _ _ _ _ _ _ _ _
6 È un sinonimo di "attenzione". C _ _ _ _ _ _
7 È un sinonimo di "impaurito". SP _ _ _ _ _ _ _ _
8 Andare via da un posto di corsa. SC _ _ _ _ _ _
9 Parlare ad alta voce. GR _ _ _ _ _
10 Una via molto stretta. VI _ _ _ _
11 Lo è un posto dove non vive nessuno. DE _ _ _ _ _

2 Completa la tabella abbinando le parole elencate a quelle indicate nelle colonne. Attento! Alcune parole possono andare in diverse colonne.

guardiano marciapiede orari di apertura entrata uscita visitatori menù cameriere cliente esposizione padrone cassa vicolo piazza

Museo	Ristorante	Strada
....	....	....
....	....	....
....	....	....
....	....	....
....	....	....
....	....	....
....	....	....
....	....	....

7 **3 Ascolta le definizioni e indica la parola corrispondente.**

1 *vicolo/viale*
2 *solo* (oppure *solitario*)/*deserto*
3 *diretto/direttore*
4 *pane/panico*
5 *seminare/coltivare*

8 **4 Adesso ascolta quattro domande e abbinale alla risposta corretta.**

a ☐ Li abbiamo seminati.
b ☐ Perché è scoppiato un incendio.
c ☐ A casa mia.
d ☐ Pittoresca.

Produzione scritta e orale

1 Tu ed i tuoi amici state assistendo a uno spettacolo quando improvvisamente scatta un allarme. Racconta il seguito.

2 Scrivi un breve articolo (circa 6 righe) sul furto di un oggetto prezioso. Considera questi aspetti:

- dove è conservato l'oggetto
- da chi è stato creato o scoperto
- di che epoca è
- quale valore ha

Prima di leggere

1 **Le parole seguenti sono utilizzate nel capitolo 4. Abbina ogni parola alla sua definizione.**

a restituire
b rubare
c riagganciare
d infilare
e fidarsi
f scricchiolare

1 ☐ Interrompere bruscamente una conversazione telefonica.
2 ☐ Contare su qualcuno.
3 ☐ Dare indietro.
4 ☐ Fare un suono secco, simile ad un cigolio.
5 ☐ Mettere la mano dentro a qualcosa, per esempio un guanto.
6 ☐ Portare via quello che è di un'altra persona senza averne il diritto o il permesso.

2 **Le espressioni in corsivo sono utilizzate nel capitolo 4. Indica la risposta corretta.**

1 *Si gettano nella bocca del lupo.*
  a ☐ Si fanno mordere da un lupo.
  b ☐ Si mettono volontariamente in pericolo.
  c ☐ Ululano come dei lupi.

2 *L'affare è risolto.*
  a ☐ Si è trovata la soluzione dell'affare.
  b ☐ Qualcuno cerca la soluzione dell'affare.
  c ☐ Non c'è soluzione a un affare.

3 *Non ne potevo più.*
  a ☐ Non potevo più continuare così.
  b ☐ Non sapevo dove andare.
  c ☐ Non capisco assolutamente niente.

CAPITOLO **4**

In cantina

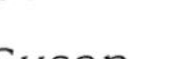

Susan e Antonio non riescono ancora a capire bene quello che è successo. È stato tutto così veloce!

"Perché hai rubato la marionetta?" chiede Susan.

"Scusa, mi sono fatto prendere dal panico" risponde Antonio. "Comunque non è furto. Voglio restituirla."

"Torniamo al museo, allora?" chiede la ragazza.

"Non subito. Voglio prima esaminarla."

Antonio mette la marionetta sulla scrivania nella sua stanza. Poi prende una foto dal portafoglio. La mostra a Susan.

"Vedi? Questo sono io da bambino e questo signore accanto a me con la marionetta sulle ginocchia è il signor Cavallazzi."

Antonio usa una lente per osservare le tre teste di Rossetto: quella del museo, quella del laboratorio di Cavallazzi e quella della foto. E alla fine non ha dubbi.

"La testa del museo è una copia" dice. "La vera testa è quella che abbiamo visto al laboratorio."

"Come lo sai?"

"Guarda gli occhi: quelli della testa rotta sono stretti e non si vedono quasi le sopracciglia. Come nella foto. Invece quelli della testa del museo sono ben disegnati. Troppo ben disegnati!"

Susan prende la lente e a sua volta osserva le due teste.

"Bisogna proprio essere uno specialista come te per vedere la differenza. Secondo te è stato John Mitchell?"

"Ne sono sicuro. Ma non capisco perché."

"Secondo me non è un collezionista" dice Susan, che intanto fa ballare Rossetto. "Posso giocare con lui?"

"Sì, però fa' attenzione!" la avverte Antonio.

Susan cerca di infilare la mano nella marionetta, ma non ci riesce. Antonio sorride e vuole farle vedere come fare, però non ci riesce neppure lui.

"Caspita, ma sai che è strano? Guarda! La testa è bloccata da un pezzo di cartone."

Antonio taglia il cartone con delle forbici, stacca la testa e... un diamante cade sulla scrivania.

"Il Solitario!" esclama Antonio. "Non ci posso credere! Deve essere il diamante che cerca il commissario Collina."

Antonio è fuori di sé dalla gioia.

"Abbiamo ritrovato il diamante! Ci tocca la ricompensa!"

Ma Susan è inquieta.

"Secondo te, John Mitchell ha rubato il diamante?"

"Sì, come ho già detto, ne sono sicuro."

"E se ci trova prima lui?"

"Non aver paura. Il commissario ci proteggerà."

Antonio telefona con il cellulare al commissario. È così eccitato dall'idea di aver risolto un caso tanto importante!

"Pronto?"

CAPITOLO 4

"Commissario, sono Antonio."

"Chi? Non sento bene."

"Antonio, sono Antonio!"

"Ah sì, Antonio. Io... molto male. Sono nel tunnel... circonvallazione. Io vado... museo... Un furto... Senti, ti richiamo."

"Pronto, pronto... È saltata la linea!"

"Oh, no!" esclama Susan. "Guarda dalla finestra! I complici di quel Mitchell sono qui."

"Qui dove?"

"Di fronte al palazzo."

"Accidenti, ci hanno seguito! Dobbiamo andarcene subito."

"Per andare dove?"

"Dove non ci cercheranno mai: al laboratorio di Cavallazzi."

"Questo significa mettersi nei guai? Si dice così in italiano, vero?"

"Fidati di me, Susan. Fino ad ora è andato tutto bene, no?"

"Più o meno..."

"E abbiamo anche trovato il diamante rubato."

Antonio mette in tasca la marionetta e il diamante. Lui e Susan escono dall'appartamento, percorrono un vicolo e arrivano in una strada più larga. I complici di John Mitchell non li hanno visti. Per entrare nel laboratorio di Cavallazzi, Antonio passa per la cantina del palazzo. In fondo al corridoio c'è una cantina che comunica con il laboratorio. La botola [1] che porta alla cantina si trova proprio sotto il tavolo da lavoro. Susan ha un po' paura, ma segue il suo amico nella stanza umida e buia.

"Non ti preoccupare" la rassicura Antonio. "Non resteremo qui a lungo. Vedrai che il commissario mi richiama."

Adesso i due ragazzi sentono proprio sopra la loro testa la voce

1. **botola** : sportello che mette in comunicazione due stanze, una soprastante e una sottostante.

di John Mitchell. Susan cerca di capire quello che dice, ma i muri spessi rendono impossibile sentire. Antonio solleva la botola piano piano, ma nello stesso tempo l'americano si avvicina al tavolo da lavoro. Si siede e stende le gambe. I suoi piedi adesso sono a pochi centimetri dalla botola... Antonio non può più muoversi. Susan ascolta, poi traduce ad Antonio.

"È al telefono coi suoi complici. Gli sta dicendo che devono trovare il diamante al più presto possibile perché la collezione parte domani mattina per gli Stati Uniti."

Antonio abbassa un po' la botola perché gli fa male il braccio, ma questa scricchiola. John Mitchell smette di parlare... Antonio trattiene il respiro. Finalmente l'americano riprende la conversazione, ma Antonio ha sempre più male al braccio. Qualche minuto più tardi, John Mitchell riaggancia, si alza ed esce dal laboratorio.

"Meno male, se n'è andato. Non ce la facevo più" esclama Antonio.

"E adesso cosa facciamo?" chiede Susan.

"Abbiamo la prova che John Mitchell è colpevole e sappiamo abbastanza per avvertire il commissario."

Antonio prende il cellulare, ma dall'interno della cantina non riesce a telefonare.

"Non c'è segnale " dice. "Usciamo!"

"Meglio così. Cominciavo ad aver freddo" esclama Susan contenta.

Ma la sua contentezza dura poco. In quel momento ricompare John Mitchell. Punta una pistola contro i due ragazzi.

"Avevo ragione" dice. "Quella botola non scricchiolava da sola. Non siete delle brave spie, ragazzi!"

Susan e Antonio cominciano a tremare. L'americano sorride.

"Questa volta sono davvero contento di vedervi. Perché so che avete qualcosa di mio."

Comprensione scritta e orale

1 Leggi il capitolo, poi metti gli eventi nel corretto ordine cronologico.

a ☐ Il collezionista americano punta una pistola contro Antonio e Susan.
b ☐ Il diamante cade dalla testa di Rossetto.
c ☐ Antonio fa vedere una foto a Susan.
d ☐ Antonio telefona al commissario. I due ragazzi lasciano l'appartamento.
e ☐ Antonio capisce che la testa di Rossetto che è al museo è una copia.
f ☐ È impossibile telefonare dalla cantina!
g ☐ Antonio e Susan si nascondono nella cantina sotto il laboratorio di Cavallazzi.

2 Rileggi il capitolo, poi rispondi alle domande.

1 Chi c'è in macchina nel tunnel?
2 Chi è davanti al palazzo di Antonio?
3 Chi traduce quello che dice l'americano?
4 Chi solleva la botola?

CELI 1

3 Abbina ogni inizio di frase alla sua fine.

1 ☐ Antonio taglia il cartone	a	con il suo cellulare.
2 ☐ Nella foto c'è Cavallazzi	b	con una pistola.
3 ☐ Susan vuole giocare	c	con la lente.
4 ☐ Antonio osserva la marionetta	d	con delle forbici.
5 ☐ Mitchell minaccia i ragazzi	e	con Antonio e Rossetto.
6 ☐ Antonio chiama il commissario	f	con la marionetta.

10 **4 Ascolta la registrazione, poi segna le parole che senti.**

1 *stende/siede*
2 *stanza/stampa*
3 *strudel/tunnel*
4 *infilare/impilare*
5 *lavoratorio/laboratorio*
6 *foto/moto*

Lessico

1 Con l'aiuto delle definizioni metti le lettere delle parole in ordine per trovare il nome degli elementi di una casa.

1 La camera dove si prepara il pranzo. acincu _ _ _ _ _ _
2 Una camera spesso umida e fredda. inactna _ _ _ _ _ _ _
3 Permette di salire e scendere. reassocen _ _ _ _ _ _ _ _ _
4 La camera dove si trova il letto. amcera da telto
_ _ _ _ _ _ _ _ _ _ _ _ _
5 Si trova sotto il tetto. ttasoffi _ _ _ _ _ _ _ _
6 Senza di esse sarebbe tutto buio. infestre _ _ _ _ _ _ _ _
7 Averne uno sopra la testa, significa avere una casa. ettto _ _ _ _ _
8 Permette di entrare e uscire. ortap _ _ _ _ _
9 Vi si fa la doccia o il bagno. gnabo _ _ _ _ _
10 Qui si ricevono gli amici. lotsato _ _ _ _ _ _ _
11 Separa due stanze. urom _ _ _ _
12 Ci si cammina sopra. ovitapmen _ _ _ _ _ _ _ _ _
13 Si trova sopra la nostra testa. sfotifto _ _ _ _ _ _ _ _
14 Ne esce il fumo. noacim _ _ _ _ _ _

Grammatica

L'imperativo

L'imperativo diretto positivo è usato per queste persone:

- 2ª persona singolare (tu) *Guarda!*
- 2ª persona plurale (voi) *Guardate!*
- 1ª persona plurale (noi) *Guardiamo!*

L'imperativo si usa per esprimere un ordine o un invito.

La forma dell'imperativo è uguale a quelle dell'indicativo presente con delle eccezioni per la seconda persona plurale.

Fa' è l'imperativo irregolare del verbo *fare* (2ª persona singolare).
Fa' attenzione!

L'imperativo diretto negativo si forma alla 2ª persona singolare con *non* + infinito.
Non ti preoccupare.

Nel plurale invece è uguale alle forme dell'indicativo presente.
Usciamo!

1 Trasforma queste frasi all'imperativo.

0 Giocare adesso. (2ª singolare) *Gioca adesso!*
1 Venire a casa. (2ª singolare) ....
2 Parlare italiano con loro. (2ª singolare) ....
3 Non guardare la televisione. (2ª plurale) ....
4 Pulire la stanza. (2ª plurale) ....
5 Non cucinare per noi. (2ª plurale) ....
6 Non fumare (2ª singolare) ....

Produzione scritta e orale

1 Che cosa succederà nel capitolo 4? Scrivilo tu!

Camera con vista... su Firenze

Una Firenze romantica e bellissima viene presentata dal regista inglese James Ivory nel film *Camera con vista*, tratto dall'omonimo [1] romanzo di E.M. Forster, scrittore inglese della prima metà del Novecento. Il film è del 1986 e l'anno seguente ha vinto tre premi Oscar: per la migliore sceneggiatura non originale, per la migliore scenografia e per i migliori costumi.
Gli attori principali sono Daniel Day Lewis e Helena Bonham Carter.

La storia
Siamo nel 1907. Lucy Honeychurch, una giovane inglese, è in visita a Firenze insieme alla cugina. Qui alloggiano in una pensione dove non possono avere, come volevano, una camera con vista sull'Arno. Dopo un primo rifiuto, accettano di prendere la camera offerta dagli Emerson, una coppia di inglesi (padre e figlio) che alloggia nella stessa pensione. Lucy continua ad incontrare gli Emerson in giro per Firenze. Il giovane George Emerson è affascinante, ma "strano" e quando Lucy si accorge che comincia a provare qualcosa per lui cerca di evitarlo, ma senza riuscirci. Così un giorno, su un bellissimo prato che ha sullo sfondo l'incantevole paesaggio di Fiesole, George la bacia. La cugina di lei li vede e Lucy deve partire.

1. **omonimo** : con lo stesso titolo.

La parte che si svolge a Firenze finisce qui, almeno per ora.
Lucy torna nel Surrey, in Inghilterra, dove si fidanza con Cecil Wise, un tipo molto diverso dallo spontaneo e vivace George. Cecil è freddo e snob, ma anche se Lucy non è innamorata di lui, lo deve sposare perché è ricco e nobile... Ma proprio vicino al loro cottage si stabiliscono gli Emerson e... il seguito si può prevedere. Oppure no?
Il film si chiude a Firenze, dove una coppia (non diciamo quale!) trascorre la luna di miele, naturalmente potendo godere di una camera con vista.

Firenze nel film

Nella prima parte del film si possono vedere strade e monumenti del bel centro di Firenze. A Lucy piace andare in giro da sola (anche se la sua accompagnatrice non è d'accordo) e durante una passeggiata fa visita alla Loggia dei Lanzi, dove vuole vedere la famosa statua del *Perseo* di Benvenuto Cellini. Proprio alla Loggia dei Lanzi, vicino alla Fontana del Nettuno, avviene un omicidio.
È interessante notare come vengono presentati gli "indigeni", cioè gli italiani. I turisti inglesi, soprattutto le donne, li vedono come un po' primitivi e pericolosi, ma sono anche affascinati dai loro modi spontanei e dalla loro vitalità.
Il paesaggio più bello che si vede nel film è senz'altro quello delle colline di Fiesole, dove tutto il gruppo di inglesi va in gita. È un paesaggio toscano pieno di colori e di armonia.

Comprensione

1 Indica se le affermazioni sono vere o false.

		V	F
1	*Camera con vista* è di un regista americano.	☐	☐
2	Presenta una Firenze medievale.	☐	☐
3	Ha vinto tre premi Oscar.	☐	☐
4	È ambientato nei primi anni del 1900.	☐	☐
5	La protagonista è una giovane inglese.	☐	☐

2 Rispondi alle seguenti domande sulla trama del film.

1. Dove alloggiano Lucy e la cugina?
2. Perché cambiano camera?
3. Chi incontra Lucy continuamente in giro per Firenze?
4. Dove si baciano Lucy e il giovane George?
5. Chi deve sposare Lucy e perché?

3 Indica l'alternativa corretta.

1. Il film è ispirato ad un romanzo di
   - a ☐ Joseph Conrad.
   - b ☐ James Joyce.
   - c ☐ E.M. Forster.
2. La storia si svolge
   - a ☐ tutta in Italia.
   - b ☐ fra Italia e Inghilterra.
   - c ☐ fra Italia e Stati Uniti.
3. Nel film i fiorentini sono considerati
   - a ☐ pericolosi e disonesti.
   - b ☐ raffinati e un po' presuntuosi.
   - c ☐ affascinanti anche se un po' primitivi.

Ricette toscane

L'antipasto

Ingredienti per quattro persone:

- 350 gr. di fegatini di pollo
- 50 gr. di capperi sott'aceto
- Mezza tazza di brodo
- Una cipolla rossa media
- Due o tre acciughe sott'olio
- Olio extravergine d'oliva

Lavate i fegatini, sciacquateli e asciugateli. Fate soffriggere in una padella l'olio con la cipolla tritata finemente. Mentre la cipolla rosola, aggiungete i fegatini e lasciateli cuocere a fuoco medio per una ventina di minuti. Se necessario, aggiungete un pochino di acqua. Quando saranno cotti, tritateli e aggiungete anche l'olio ed il sugo di cottura. Poi si possono aggiungere i capperi tritati con le acciughe oppure la pasta di capperi e d'acciughe per regolare il sapore. Servite i crostini con il pane toscano abbrustolito e inumidito con pochissimo brodo.

Il primo

La pappa al pomodoro è un piatto tipicamente toscano, povero ma gustoso. Si può mangiare d'inverno come zuppa calda, ma è buona anche in estate da gustare a temperatura ambiente. Si serve condita con ottimo e abbondante olio extravergine d'oliva e foglie di basilico spezzettate.

Ingredienti per quattro persone:

- 300 gr. di pane toscano raffermo
- 800 gr. di pomodori pelati
- aglio (due spicchi) e basilico (un mazzetto)
- 1 litro di brodo vegetale
- abbondante olio extravergine di oliva

Tagliate il pane toscano a fette sottili, quindi tostatele. Lasciatele intiepidire e poi strofinateci sopra gli spicchi di aglio. Scottate i pomodori in acqua bollente per un minuto, quindi scolateli e spellateli con l'aiuto di un coltellino. Passate i pomodori al setaccio e raccogliete la passata in un contenitore. Disponete le fette di pane in un tegame quindi ricopritele con la passata di pomodoro e il brodo vegetale. Salate, pepate, unite un cucchiaino di zucchero e cuocete a fuoco basso per 40-50 minuti. Mescolate di tanto in tanto per ridurre il pane in pappa. A fine cottura, aggiungete le foglie di basilico spezzettate e completate con abbondante olio extravergine di oliva.

Il secondo

La bistecca alla fiorentina è il simbolo della cucina fiorentina e senz'altro uno dei piatti più conosciuti. La preparazione è veloce, ma può essere difficile trovare il "taglio", cioè il pezzo di carne giusto da cuocere. Deve essere infatti di manzo vitellone e di razza chianina, cioè tipico dell'area toscana e umbra. Il taglio deve anche comprendere l'osso, il filetto e il controfiletto. Il peso dovrebbe essere compreso tra i 600 e gli 800 grammi e l'altezza di circa due centimetri e non superiore. E ricordate: un'autentica bistecca fiorentina non è mai ben cotta!

Ingredienti

- 1 bistecca da 600 – 800 gr.
- Sale, pepe

La vera bistecca alla fiorentina deve essere cotta sul barbecue. Non punzecchiatela con la forchetta, ma giratela con una paletta. Fatela cuocere per circa cinque minuti da un lato poi giratela, salate la parte precedentemente cotta e rigiratela per altri cinque minuti.

Girate e salate la parte che ne ha bisogno e gustatevi la vera bistecca alla fiorentina così com'è.

Comprensione scritta

1 **Leggi il dossier, poi correggi gli errori nella tabella.**

Ricetta	crostini	pappa al pomodoro	bistecca alla fiorentina
Tipo	dessert	primo piatto	antipasto
Ingredienti	pane burro uova	pomodoro pasta olio di oliva	carne e pepe
Tipo di cottura	frittura	bollitura	brasatura

2 **Rispondi alle seguenti domande sulle ricette.**

1 Che tipo di pane si usa per fare i crostini?
2 Qual è l'ingrediente principale che si mette sui crostini?
3 Come si mangia d'estate la pappa al pomodoro?
4 Con cosa si serve la zuppa di pomodoro?
5 Quale di questi piatti è il piatto simbolo della cucina fiorentina?
6 Qual è l'aspetto più importante per preparare una buona bistecca alla fiorentina?
7 Come si cuoce la bistecca alla fiorentina?

Prima di leggere

1 **Le parole seguenti sono utilizzate nel capitolo 5. Associa ogni parola all'immagine corrispondente.**

a stiva **b** portiere **c** cassa **d** imbarco

CAPITOLO **5**

Nel laboratorio

Sono le undici di sera. Antonio e Susan sono prigionieri nel laboratorio da più di due ore. John Mitchell ha recuperato il diamante e i suoi complici, che hanno raccolto la collezione di marionette, preparano le casse da mandare negli Stati Uniti. Antonio e Susan, che hanno i piedi e le mani legati, li guardano. 11

"Perché ha comprato le marionette se non è un collezionista?" domanda Antonio.

"Colleziono pietre preziose, io! Il diamante era esposto al Bargello e la collezione di Cavallazzi era in vendita. Ho avuto l'idea di comprare le marionette per nascondere il diamante nella testa di Rossetto. Chi controllerà le casse prima dell'imbarco? Nessuno."

"Ma non era un rischio esporre la collezione di marionette?"

"Non avevo scelta: l'evento era stato programmato già da tempo. E per di più ho rotto la testa della marionetta quando ci ho

nascosto dentro il diamante. Quindi ho dovuto farne una copia. E tu lo hai scoperto!"

"E adesso cosa volete fare?" chiede Susan con voce che le trema.

"Questa è una bella domanda" risponde l'americano. "Non ho ancora deciso, ma è chiaro che sapete troppo. Non posso certo lasciarvi andare."

In quel momento qualcuno bussa alla porta. I due complici dell'americano portano Antonio e Susan in una stanza vicina e li imbavagliano.

"Chi è?" chiede John Mitchell.

"Il commissario Collina. Mi dispiace disturbare così tardi, ma ho visto la luce accesa."

L'americano apre la porta.

"Buonasera, commissario. Scusi, ma non ho molto tempo. Stiamo preparando le casse per domani."

"Giusto. Avete ritrovato la marionetta allora..."

"Sì. I ladri l'hanno abbandonata in strada e i miei soci l'hanno trovata. Una fortuna incredibile!"

"Secondo il direttore i ladri erano due ragazzi."

"Sì, proprio così. Due ragazzi. Li abbiamo visti vicino all'uscita. Ma niente di grave. È stata solo una bravata."

Tra il furto del diamante e quello della marionetta il commissario è un po' confuso. Improvvisamente, un rumore...

"Avete sentito?" chiede il commissario.

"No, sentito cosa?" domanda John Mitchell.

"Un gemito... strano..."

"Ci siamo solo io e i miei soci qui. Forse non riescono a sollevare le casse. Vado ad aiutarli, è meglio. Mi scusi, ma il mio aereo parte domani mattina e io ho ancora molto lavoro..."

"Sì, certo. La saluto. Arrivederci e buon viaggio."

"Arrivederci, signor commissario."

Il commissario Collina è in strada quando si ricorda che non ha ancora chiamato Antonio. È tardi, ma può essere qualcosa di importante.

Quando il telefonino di Antonio suona, John Mitchell lo prende e guarda lo schermo.

"È il commissario... Perché ti chiama?" domanda ad Antonio.

"Non lo so" risponde il ragazzo. "È un amico di famiglia, forse vuole chiedermi come va."

"Rispondi, se no può insospettirsi. Di' che dormi da un compagno e che ti ha svegliato. Attenzione, non fare il furbo!"

John Mitchell avvicina il cellulare all'orecchio di Antonio.

"Pronto."

"Sono Gianni Collina. Scusa se ti chiamo a quest'ora. Che cosa volevi prima?"

"Ah, io... Io... ero allo stadio e volevo parlare con lei della partita."

Il commissario non capisce, e neppure l'americano.

"La Fiorentina non ha vinto questa volta. Non ha fatto neanche un goal. Insomma, ha giocato davvero male, a parte il portiere. Lui era davvero bravo. Ma purtroppo l'unico bravo della squadra non resta. Pensi un po', cambia squadra, va a giocare in un altro paese. Che peccato!"

"Ah..."

"Sì, prende l'aereo domani. Non lo sapeva?"

John Mitchell fa segno ad Antonio di smettere di parlare.

"Va bene, adesso torno a dormire. Sono dal mio compagno Marco Torrini."

"D'accordo, buona notte."

Il commissario riaggancia.

'Ma perché Antonio mi ha raccontato 'ste cose? Non sono suo padre!' si chiede perplesso.

Comprensione scritta e orale

11 **1 Ascolta la registrazione del capitolo, poi scegli l'alternativa corretta.**

1 I tre complici *preparano/riparano* le casse che partono *l'indomani/lo stesso giorno* in *nave/aereo*.

2 Susan e Antonio hanno i piedi e le mani *liberi/legati*.

3 John Mitchell ha *nascosto/rotto* la testa di Rossetto quindi ha *nascosto/rotto* il diamante all'interno. Ha fatto una *fotografia/copia* della testa.

4 Il commissario Collina cerca *Antonio/Susan sul cellulare/via internet*, il quale gli *racconta/canta* la partita di *rugby/calcio*.

5 *L'americano/l'inglese* dice ad Antonio di *finire/cominciare* la *televisione/conversazione*. Il commissario invece *non ha capito niente/ha capito tutto*.

2 Completa il riassunto del capitolo con le parole elencate.

ragazzi americani Antonio aeroplano casse collezionista commissario capisce diamanti gemiti Susan la partita i suoi complici telefona comprato cellulare

John e (**1**) .... hanno legato le mani di (**2**) .... e di (**3**) .... L'americano gli racconta perché ha (**4**) .... la collezione di Cavallazzi. Non è un (**5**) .... di marionette, ma piuttosto di (**6**) .... Pensa che nessuno controllerà le (**7**) .... prima dell'imbarco sull'(**8**) .... Quando il (**9**) .... Collina bussa alla porta, i tre (**10**) .... imbavagliano i due (**11**) .... Il commissario sente i (**12**) .... ma non cerca di saperne di più. Una volta fuori (**13**) .... ad Antonio sul (**14**) .... Il ragazzo gli racconta (**15**) .... di calcio, ma il commissario non (**16**) .... il messaggio nascosto nelle sue parole.

3 **Indovina chi si nasconde dietro a ogni affermazione.**

1 Preparano le casse di marionette. ....
2 Ha rotto la testa di Rossetto. ....
3 Non riesce a risolvere l'indagine sul furto di diamanti. ....
4 Vuole sapere quello che John Mitchell farà di loro. ....
5 Antonio pensa che abbiano giocato male. ....
6 John Mitchell ha nascosto un diamante nella sua testa. ....

Grammatica

I pronomi personali diretti *mi*, *ti*, *ci*, *vi*

I complementi diretti si usano quando il verbo non richiede la preposizione. ***Mi***, ***ti***, ***ci***, ***vi*** si collocano sempre prima del verbo.
*Scusa se **ti** chiamo a quest'ora.*
*Perché Antonio **mi** guarda così?*

1ª pers. sing.	2ª pers. sing.	1ª pers. plur.	2ª pers. plur.
mi	ti	ci	vi

1 **Indica l'alternativa corretta in questi sms.**

1 *Ci/vi* vediamo alle otto, amore.
2 *Ti/mi* amo, Giulia.
3 *Ti/ci* chiamo più tardi.
4 *Chiamavi/mi* subito, per favore!
5 *Mi/ti* vieni a prendere al lavoro?
6 Siamo mamma e papà. *Ci/vi* hai cercato tu alle otto?

2 **Inserisci il pronome opportuno: *mi*, *ti*, *ci*, *vi*.**

1 Non .... trovo. Dove sei? — Fa' ancora qualche passo e .... vedrai.
2 .... saluto, ragazzi. Vado a casa.
3 Diciamo subito alla polizia quello che è successo. Così non .... mettiamo nei guai!
4 Quello che .... hai fatto sapere è molto grave. Siamo preoccupati.
5 .... ringraziamo per il vostro lavoro, colleghi.

Lessico

1 Indica il significato di queste espressioni che contengono la parola "testa".

1 *Perdere la testa*
- a ☐ Impazzire
- b ☐ Essere distratto
- c ☐ Perdersi

2 *Passare per la testa*
- a ☐ Scappare
- b ☐ Venire in mente
- c ☐ Sognare

3 *Avere la testa tra le nuvole*
- a ☐ Essere distratto
- b ☐ Farsi male
- c ☐ Guardare il cielo

4 *Avere la testa a posto*
- a ☐ Avere mal di testa
- b ☐ Essere sempre in buona salute
- c ☐ Essere saggio

5 *Essere alla testa di*
- a ☐ Opporsi
- b ☐ Andare dal parrucchiere
- c ☐ Essere alla guida di

6 *Far girare la testa*
- a ☐ Far riflettere qualcuno
- b ☐ Dare un colpo a qualcuno
- c ☐ Far innamorare qualcuno

7 *Essere fuori di testa*
- a ☐ Essere saggio e intelligente
- b ☐ Essere pazzo
- c ☐ Essere molto abile nel lavoro

8 *Mettersi in testa qualcosa*
- a ☐ Decidere improvvisamente
- b ☐ Volere assolutamente fare qualcosa
- c ☐ Mettersi un cappello

2 **Indica l'alternativa corretta in queste espressioni con il verbo "fare".**

1 *Far male*
- a ☐ Ingrassare
- b ☐ Avere un insuccesso
- c ☐ Danneggiare qualcuno

2 *Far bello* si riferisce
- a ☐ al tempo.
- b ☐ a una persona.
- c ☐ a un oggetto.

3 *Fare le valigie*
- a ☐ Prepararsi a partire
- b ☐ Comprare tanti vestiti
- c ☐ Salutare

4 *Fare lo spiritoso*
- a ☐ Mostrare grande intelligenza
- b ☐ Mostrare grande stupidità
- c ☐ Fare scherzi e battute

5 *Fare gli auguri*
- a ☐ Dire a qualcuno "buon natale" o "buon compleanno"
- b ☐ Dire a qualcuno cosa gli succederà
- c ☐ Mostrarsi felice perché a qualcuno è successo qualcosa di piacevole

6 *Fare orecchio da mercante*
- a ☐ Far finta di non capire
- b ☐ Non sentire bene
- c ☐ Essere curioso

7 *Fare baccano*
- a ☐ Fare rumore
- b ☐ Essere confuso
- c ☐ Rompere cose

8 *Fare un giro*
- a ☐ Viaggiare a lungo
- b ☐ Partire
- c ☐ Andare da qualche parte senza una destinazione precisa

Prima di leggere

1 **Abbina ogni verbo all'immagine corrispondente.**

a sorvegliare
b svegliarsi
c detestare
d trasferirsi
e adorare
f festeggiare

1 ☐

2 ☐

3 ☐

4 ☐

5 ☐

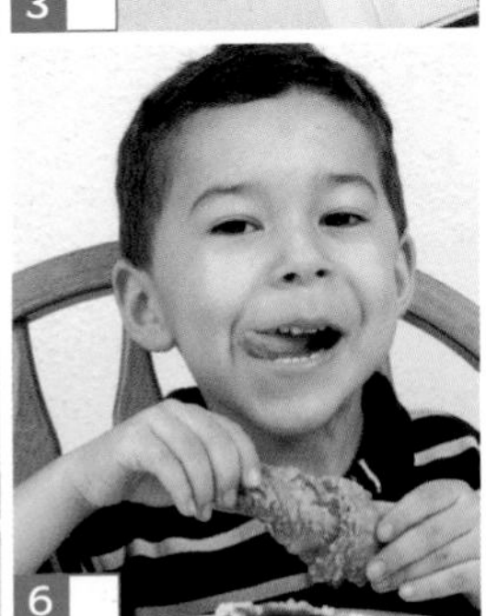
6 ☐

2 **I seguenti verbi sono utilizzati nel capitolo 6. Inserisci ogni verbo nella frase corrispondente, coniugandolo quando necessario.**

perquisire andare di corsa ammettere smascherare avere un sussulto

1 Quando si sente un grande rumore si può ....
2 Se si è di fretta non si va tranquillamente in ufficio, si ....
3 Un colpevole non sempre .... facilmente il suo crimine.
4 Si può .... un posto per ore senza trovare niente.
5 Per .... un ladro bisogna fare un'indagine.

CAPITOLO **6**

All'aeroporto

Lo squillo del telefono sveglia il commissario. Guarda l'orologio sul tavolo. Sono le sei di mattina. Ma chi lo chiama a quest'ora? Di domenica, per di più. 12

"Pronto."

"Capo?"

"Pinelli, sei tu?"

"Accidenti, mi scusi, capo. Ho sbagliato numero. L'ho svegliata? Spero di no."

"E invece sì che mi hai svegliato."

"Mi dispiace, capo. Volevo telefonare a mia moglie. Le volevo dire che in questo momento stiamo imbarcando la collezione di Cavallazzi per gli Stati Uniti. Lei adora le marionette, sa..."

"Tu sei all'aeroporto per il furto dei diamanti, non per le marionette!"

"Ha ragione, commissario. Torno al lavoro."

All'aeroporto

Mezz'ora più tardi il telefono suona ancora.

"Gianni? Sono Mario, scusa per l'ora."

"Non ti preoccupare. Ci sono abituato."

"Antonio e Susan, la ragazza americana, non sono rientrati a casa questa notte e il cellulare di Antonio è spento. Sono preoccupato."

Il commissario cerca di rassicurarlo.

"Non ti devi preoccupare. Ho parlato al telefono con Antonio ieri sera. Mi ha detto che era andato allo stadio e che ha dormito da Marco Torrini."

"Impossibile. Marco si è trasferito l'anno scorso a Genova e poi sono sicuro che Antonio non sia andato allo stadio. Lui detesta il calcio. Ieri pomeriggio è andato al Museo del Bargello per vedere uno spettacolo di marionette con Susan."

Il commissario ripensa alla descrizione dei ladri del museo: un ragazzo e una ragazza di circa quindici anni.

"Perbacco, sai che tuo figlio e la sua amica forse hanno rubato la marionetta dal museo?"

"Ma perché? Antonio adora le marionette."

"Forse proprio per questo. La sua marionetta preferita sta per partire per gli Stati Uniti e lui l'ha rubata per averla."

"Ma cosa stai dicendo, Gianni! Antonio non è un ladro, andiamo, tu lo conosci."

Mario ha ragione. E poi non ha senso: un ladro non chiama la polizia. Il commissario ripensa alla conversazione con il figlio del suo amico: il calcio, l'aereo, la marionetta... Improvvisamente esclama:

"Ho capito. Credo che Antonio e Susan abbiano ritrovato il diamante. Hanno voluto avvertirmi. Sono in pericolo."

"Ma dove sono?" chiede Mario spaventato.

"Non lo so. Ha parlato di un aereo e... ma certo, che sciocco che sono! Proprio adesso si sta imbarcando la collezione di Cavallazzi.

È questo che Antonio ha voluto farmi capire. Vado di corsa all'aeroporto!"

L'aeroplano aspetta il segnale della torre di controllo dell'aeroporto di Firenze per decollare. A bordo John Mitchell sta festeggiando con i suoi soci. Improvvisamente, il personale dell'aereo apre i portelloni, quello davanti e quello dietro. Il commissario, seguito da una dozzina di poliziotti, avanza nel corridoio. Quando li vede, John Mitchell ha un sussulto.

"La commedia è terminata, Mitchell" dice il commissario. "Dove sono Susan e Antonio?"

"Scusi? Non so di chi state parlando."

"E il Solitario nella testa della marionetta. Adesso sa di cosa parlo?"

L'americano capisce che lo hanno smascherato. È inutile mentire a questo punto.

"Sono nella stiva dell'aeroplano" ammette. "Sono chiusi in una cassa per il trasporto degli animali."

I poliziotti perquisiscono la stiva. Trovano i due ragazzi in una cassa addormentati sotto l'effetto di un potente sonnifero. In un'altra cassa, il commissario trova la marionetta e il diamante. La sua indagine è terminata.

La sera stessa Antonio, i suoi genitori, Susan e il commissario festeggiano la fine di questa storia al ristorante del papà di Antonio.

"Stasera avete tutti una faccia migliore" dice il commissario.

"Beh, questa è la dimostrazione che il calcio è meno pericoloso delle marionette" scherza il papà di Antonio.

"Ma che cosa volete fare con i soldi della ricompensa?" domanda il commissario.

I due ragazzi si guardano e rispondono nello stesso momento con entusiasmo: "Compriamo la collezione di Cavallazzi!"

Comprensione scritta e orale.

12 **1** **Ascolta la registrazione del capitolo, poi indica se le affermazioni sono vere o false.**

		V	F
1	È il giorno della partenza della collezione di Cavallazzi.	☐	☐
2	Il commissario Collina riceve tre telefonate.	☐	☐
3	Il padre di Antonio è preoccupato per il figlio.	☐	☐
4	Antonio non è andato a vedere la partita di calcio.	☐	☐
5	Soltanto dopo aver parlato con Mario, il commissario capisce quello che ha voluto dire Antonio.	☐	☐
6	Sull'aeroplano gli americani bevono succo di arancia.	☐	☐
7	I poliziotti salgono sull'aeroplano.	☐	☐
8	John Mitchell ammette tutto dopo poco.	☐	☐
9	I poliziotti trovano il Solitario nella cabina di pilotaggio.	☐	☐
10	Susan e Antonio non possono ricevere la ricompensa perché sono troppo giovani.	☐	☐

2 **Rispondi alle seguenti domande.**

1 Chi sveglia il commissario Collina? Perché?
2 Perché Mario, il papà di Antonio, chiama il commissario?
3 Perché il commissario Collina pensa che Susan e Antonio siano dei ladri?
4 Come capisce il commissario dove si trovano Antonio e Susan?
5 Dove si conclude la storia?
6 Come possono Susan e Antonio comprare la collezione di Cavallazzi?

13 **3** **Ascolta questi annunci. Scrivi il luogo in cui vengono fatti.**

1 ....
2 ....
3 ....
4 ....

Grammatica

Stare + gerundio

A bordo John Mitchell ***sta festeggiando.***

Non so di chi ***state parlando.***

La costruzione *stare* + gerundio si usa per esprimere un'azione che si sta svolgendo.

Si forma così:

stare al presente indicativo + gerundio semplice.

Io ***sto leggendo****. Lui* ***sta facendo*** *i compiti.*

Il gerundio si forma aggiungendo le terminazioni -*ando*, -*endo*, -*endo* al tema del verbo.

- 1ª coniugazione: *am-**ando***
- 2ª coniugazione: *vend-**endo***
- 3ª coniugazione: *sent-**endo***

1 Trasforma le frasi usando *stare* + gerundio al posto dei verbi sottolineati.

0 Noi parliamo con il nostro amico.
Noi stiamo parlando con il nostro amico.

1 Susan e Antonio dormono nelle casse.

2 I poliziotti li cercano.

3 Mitchell parte per gli Stati Uniti.

4 Il padre di Antonio telefona alla moglie.

5 Mitchell beve champagne con i suoi compagni.

6 L'aereo decolla da Firenze.

7 Leggo *Indagine a Firenze.*

8 Rispondi alle mie domande.

2 **Completa le frasi con i verbi indicati. Usa la costruzione *stare* + gerundio.**

parlare pensare giocare studiare leggere (x 2) andare

0 I bambini .... a pallone.
I bambini stanno giocando a pallone.
1 Dove .... i tuoi amici? — Al museo.
2 Paul .... italiano. Vuole impararlo presto per andare in Italia.
3 Cosa (tu) .... ? — .... questo racconto in italiano.
4 Susan e Antonio .... con i loro genitori di quello che è accaduto.
5 I due ragazzi .... di comprare la collezione di marionette di Cavallazzi.

Lessico

1 **Indica l'alternativa corretta.**

1 Il commissario Collina cerca un ladro di diamanti. Deve fare
- a ☐ un'inchiesta.
- b ☐ un'indagine.
- c ☐ una ricerca.

2 Per trovare il colpevole la polizia cerca sul luogo del furto
- a ☐ degli indici.
- b ☐ dei rischi.
- c ☐ degli indizi.

3 Alcune persone hanno assistito al furto. Sono
- a ☐ dei testardi.
- b ☐ dei testimoni.
- c ☐ delle teste.

4 Il diamante appartiene a un ricco indiano. Quest'uomo è la
- a ☐ vincita.
- b ☐ vendetta.
- c ☐ vittima.

5 La descrizione di una persona può essere
- a ☐ un'illustrazione.
- b ☐ una spiegazione.
- c ☐ un racconto.

6 Il commissario ha posto delle domande durante
- a ☐ un'interrogazione.
- b ☐ un'intervista.
- c ☐ un interrogatorio.

7 L'uomo era all'estero il giorno del furto. Quindi ha un
- a ☐ alibi.
- b ☐ abito.
- c ☐ alito.

8 Tra le cose che trasporta John Mitchell c'è un diamante. Questa è
- a ☐ una dimostrazione.
- b ☐ una prova.
- c ☐ una paura.

9 Il commissario arresta l'americano. Lui è
- a ☐ colpibile.
- b ☐ colpevole.
- c ☐ condannabile.

10 Mitchell ha rubato il diamante con due altri americani. Questi sono i suoi
- a ☐ colleghi.
- b ☐ complotti.
- c ☐ complici.

2 Indica la parola corretta. Poi inventa tre frasi con quelle sbagliate.

1 Il *sospetto/testimone* avverte la polizia.

2 Il poliziotto arresta *la vittima/il colpevole*.

3 Il *poliziotto/colpevole* conduce un'inchiesta.

3 **Abbina ogni parola all'immagine corrispondente.**

a torre di controllo
b cabina di pilotaggio
c hostess
d pista
e pilota
f passeggero
g gate/imbarco
h terminale
i stiva per i bagagli

Produzione scritta e orale

1 **Come Antonio e Susan, anche tu ricevi una ricompensa. Come la utilizzi?**

2 **Scrivi quattro annunci da fare all'aeroporto o in una stazione.**

Fiorentini famosi

Il più famoso tra i fiorentini è senz'altro Dante Alighieri, uno dei più grandi geni letterari di tutti i tempi.

Dante Alighieri nasce nel 1265 da una famiglia della piccola nobiltà. Comincia presto a scrivere poesie, entrando a far parte di un importante movimento letterario del tempo, il Dolce Stil Novo, che conta tra i suoi rappresentanti poeti come Guido Cavalcanti e Lapo Gianni. I poeti stilnovisti adottano uno stile raffinato e ricco di figure retoriche e introducono nei loro testi una visione completamente nuova dell'amore, che diventa un cammino di elevazione spirituale e non ha più nulla in comune con le passioni terrene. La donna è rappresentata, infatti, per la prima volta come donna-angelo, ovvero come simbolo di perfezione ideale e come strumento per avvicinarsi a Dio. Nei testi di Dante, la donna che permette al poeta innamorato di compiere questo cammino è Beatrice, che infatti nella *Divina Commedia* gli farà da guida attraverso il Paradiso.

Non si può comprendere l'opera di Dante se non si tiene presente anche un altro aspetto che la influenza in maniera fondamentale, cioè la passione politica. Durante la propria vita, infatti, il poeta ricopre importanti incarichi istituzionali e viene direttamente coinvolto nelle vicende che riguardano il governo di Firenze. A quel tempo in città esistevano due partiti principali, i guelfi e i ghibellini: i primi, di cui faceva parte Dante, sostenevano l'imperatore, mentre i secondi erano a favore del papa. Non è un caso, quindi, se queste due figure hanno nei testi danteschi caratteristiche molto diverse: l'imperatore è il simbolo del bene, mentre il papa è descritto come rappresentante del male e dei vizi peggiori.

In questo contesto, sarà proprio la passione politica a segnare l'ultima fase della vita del poeta. Gli avversari di Dante, infatti, saliti al potere nel 1301, lo condannano all'esilio da Firenze, dove non farà mai più ritorno. È durante questo periodo che il poeta scrive la *Divina Commedia*.

Dopo diversi inutili tentativi di tornare nella sua città, Dante muore a Ravenna nel 1321.

La *Divina Commedia*

Si tratta di un'opera famosa in tutto il mondo, considerata uno dei più grandi capolavori di tutti i tempi e una delle più importanti testimonianze del Medioevo.

Il poema è diviso in tre parti, dette "cantiche". In ogni cantica Dante immagina di visitare una parte dell'aldilà. Nella prima cantica visita l'Inferno, nella seconda il Purgatorio, nella terza il Paradiso. Il poeta latino Virgilio, che rappresenta la ragione umana, guida Dante attraverso l'Inferno e il Purgatorio, mentre Beatrice lo accompagnerà nella visita al Paradiso, che si conclude con la visione di Dio.

Nel corso del suo viaggio Dante incontra una serie di personaggi

memorabili, tra i quali ricordiamo Paolo e Francesca da Rimini, il conte Ugolino, Ulisse.
La *Divina Commedia* è scritta in lingua volgare fiorentina, cioè non in latino. Questa è una grande novità per quei tempi. Infatti, nel Medioevo è il latino la lingua usata nella letteratura e, in generale, dagli intellettuali, mentre la lingua parlata da tutti – dal contadino così come dal borghese – è il volgare, cioè una lingua derivata dal latino, ma che si è molto trasformata nel corso dei secoli. Dante sceglie di scrivere in volgare perché pensa di poter raggiungere così un pubblico molto più vasto.

Giovanni Boccaccio (1313-1375), nato a Certaldo ma cresciuto a Firenze, è un altro illustre cittadino del capoluogo toscano.
Quando a Firenze scoppia un'epidemia di peste, nel 1348, scrive il suo capolavoro, il *Decameron*, una raccolta di cento novelle, narrate da sette ragazze e tre ragazzi, che l'autore immagina si siano rifugiati in campagna per sfuggire al contagio.
Per passare piacevolmente il tempo, ogni personaggio racconta agli altri una novella su ciascuno dei dieci argomenti scelti dalla compagnia. La varietà e la perfezione delle novelle del *Decameron* fanno di quest'opera un modello che ha influenzato per secoli la letteratura europea: ecco perché, se Dante è per gli italiani il 'sommo poeta', Boccaccio è a tutti gli effetti il 'padre' della novella.

Giovanni Boccaccio.

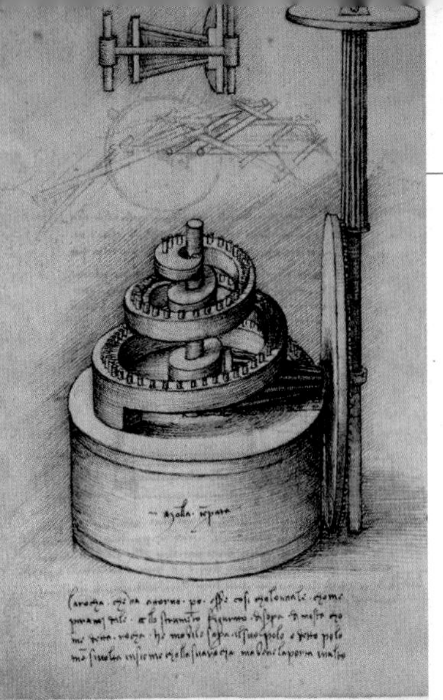

Schizzo di una delle celebri macchine leonardesche.

Anche **Leonardo da Vinci** (1452-1519), nato in un paesino vicino a Siena, trascorre a Firenze la giovinezza ed è considerato suo cittadino 'adottivo'. Qui lavora nella bottega del Verrocchio, dove si dedica al disegno, alla scultura e alla pittura. Nel 1500 lascia Milano per andare a Venezia e poi ancora a Firenze e in diverse altre città d'Italia. Muore in Francia, dove è riconosciuto come un genio e dove il re gli regala addirittura un castello.

Fin da bambino, Leonardo ha una grandissima curiosità per il mondo e per le cose che lo circondano. Gli interessano i fenomeni naturali, la dinamica degli oggetti, l'anatomia, le arti. Da grande la sua curiosità si trasforma in azione: dipinge, progetta, scolpisce, inventa. Molte sue invenzioni sono rivoluzionarie e saranno realizzate soltanto secoli dopo. È considerato uno dei più grandi geni di tutti i tempi, oltre che il simbolo del Rinascimento.

Tanti sono i grandi pittori fiorentini, da Cimabue a Giotto, da Botticelli a Pontormo, ma il più famoso di tutti è senz'altro **Michelangelo Buonarroti** (1475-1564). È autore di grandi opere come il ciclo degli affreschi della

Michelangelo Buonarroti, *Pietà vaticana* (1497-1499), basilica di San Pietro in Vaticano, Roma.

Gli affreschi della Cappella Sistina (1508-1512).

Cappella Sistina a Roma e il *David*, che si può ammirare alla Galleria dell'Accademia di Firenze. Come Leonardo, è considerato un grande genio della scultura, della pittura e anche dell'architettura.
Come architetto realizza tra le altre opere la basilica di San Lorenzo, la biblioteca Laurenziana a Firenze e la Cupola della Cattedrale di San Pietro a Roma.
Muore a Roma nel 1564 dopo aver realizzato la sua ultima opera, la *Pietà Rondanini*.

1 Scrivi accanto a ogni frase il personaggio a cui si riferisce.

1 È artista ma anche scienziato. ....
2 Muore in esilio. ....
3 Inventa tante cose. ....
4 Dipinge il ciclo degli affreschi della Cappella Sistina a Roma e scolpisce il *David*. ....
5 Sostiene l'imperatore nella lotta per il potere contro il papato. ....
6 Fin da bambino manifesta curiosità verso il mondo. ....
7 Scrive poesie nello stile del tempo, il Dolce Stil Novo. ....
8 Scrive cento novelle. ....
9 Scrive nel tempo della peste. ....
10 Finge di fare un viaggio nell'aldilà. ....
11 Il suo genio è considerato il simbolo del Rinascimento. ....
12 La donna amata di cui parlano i suoi testi si chiamava Beatrice. ....

1 **Rimetti i disegni nel giusto ordine cronologico.**

a ☐ b ☐ c ☐ d ☐ e ☐ f ☐

2 **Rimetti le frasi nel giusto ordine cronologico.**

a ☐ I poliziotti salgono sull'aeroplano e arrestano John Mitchell.
b ☐ Scatta un allarme.
c ☐ Susan scopre un grande interesse per le marionette.
d ☐ Il padre di Antonio telefona al commissario Collina.
e ☐ Antonio e Susan mangiano al ristorante del padre di Antonio.
f ☐ Antonio ha capito tutto: la testa di Rossetto è soltanto una copia.
g ☐ John Mitchell trova i due ragazzi nella cantina.
h ☐ I complici dell'americano imbavagliano Antonio e Susan.
i ☐ Il commissario Collina capisce finalmente il messaggio di Antonio.

3 **Indovina quale personaggio si nasconde dietro ogni affermazione.**

1 Riesce a trovare il solitario. ....
2 Colleziona pietre preziose. ....
3 Eseguono gli ordini di John Mitchell. ....
4 Preferisce le marionette al calcio. ....
5 È venuta a Firenze per imparare l'italiano. ....
6 Il suo ristorante si trova nel centro di Firenze. ....

4 **Scrivi una frase per descrivere ogni personaggio (carattere, aspetto, azioni, mestiere).**

Antonio ....
Gianni Collina ....
Mario ....
Susan ....
John Mitchell ....

5 **In quale momento della storia accadono questi eventi?**

1 I due ragazzi si immaginano già ricchi. ....
2 In questo istante tre uomini entrano nel laboratorio. ....
3 Antonio prende Susan per il braccio e la trascina in fondo al corridoio. ....
4 Susan cerca di mettere la mano nella marionetta, ma non ci riesce. ....
5 Mitchell e i complici preparano le casse per inviarle negli Stati Uniti. ....
6 I poliziotti trovano i ragazzi. ....

6 Rispondi a queste domande.

1 Che cosa mangiano Antonio e Susan all'inizio della storia?
2 Perché nel museo suona l'allarme?
3 È una buona idea infilarsi in un vicolo? Perché?
4 Perché la testa di Rossetto è bloccata da un cartone?
5 Perché John Mitchell ha comprato la collezione di Rossetto?
6 Perché Antonio parla della partita di calcio al commissario?

14 **7 Giulia è ospite di un quiz televisivo. Deve rispondere a una serie di domande su Firenze. Ascolta e segna la risposta corretta.**

1 In quale regione si trova Firenze?
- a ☐ Toscana
- b ☐ Emilia Romagna
- c ☐ Lombardia

2 Quanti abitanti conta all'incirca la città?
- a ☐ 350.000
- b ☐ 550.000
- c ☐ Più di un milione

3 Qual è il museo più importante di Firenze?
- a ☐ La Pinacoteca di Brera
- b ☐ I Musei Capitolini
- c ☐ La Galleria degli Uffizi

4 Quale di questi personaggi non è nato a Firenze?
- a ☐ Raffaello
- b ☐ Michelangelo
- c ☐ Dante

5 Quale di questi palazzi non si trova a Firenze?
- a ☐ Palazzo Pitti
- b ☐ Palazzo Farnese
- c ☐ Palazzo Vecchio

6 Qual è il periodo in cui Firenze vive il maggior splendore?

a ☐ Il Medioevo

b ☐ il Rinascimento

c ☐ il Barocco

7 Quale di questi fiumi attraversa Firenze?

a ☐ Il Tevere

b ☐ il Po

c ☐ l'Arno

8 Indica se le affermazioni sono vere o false.

		V	F
1	Il dessert si mangia di solito prima dell'antipasto.	☐	☐
2	La guida e il guardiano lavorano nel museo.	☐	☐
3	È pericoloso gettarsi nella bocca del lupo.	☐	☐
4	Un burattinaio è un compositore.	☐	☐
5	La cantina si trova sotto la casa.	☐	☐
6	*Essere fuori di testa* significa essere pazzo.	☐	☐
7	*Fare un giro* significa passeggiare qua e là.	☐	☐
8	Un poliziotto arresta il colpevole di un furto e non la vittima.	☐	☐
9	È piacevole viaggiare nella stiva di un aeroplano.	☐	☐
10	Una botola è una specie di sportello.	☐	☐
11	In un vicolo c'è molto spazio per alberi e aiuole.	☐	☐
12	Un sinonimo di *laboratorio* potrebbe essere *bottega*.	☐	☐

9 Ora scegli tre parole o espressioni tratte dall'esercizio precedente e inventa per ciascuna di esse una frase che riassuma un evento di *Indagine a Firenze*.

10 **Indica la risposta corretta.**

1 Vengo da te
   a ☐ e poi
   b ☐ ma
   c ☐ ma anche
   vado da Maria che mi aspetta.

2 a ☐ Fai
   b ☐ Fare
   c ☐ Fa'
   i tuoi compiti subito.

3 a ☐ Non bevi
   b ☐ Non bere
   c ☐ Non beve
   troppo the di sera.

4 Scrivi
   a ☐ -mi
   b ☐ -ti
   c ☐ -vi
   il più presto possibile.

5 È un uomo piccolo, cioè un
   a ☐ omino.
   b ☐ omone.
   c ☐ omastro.

6 Ha una macchina molto grande. Infatti è una
   a ☐ macchinina.
   b ☐ macchinona.
   c ☐ macchinetta.